사랑과 골프

꽃 중년을 위한 색골 (Sexual Golf)

목차

왜 색골인가?   3

제 1 강---스윙은 사랑의 몸섞기   5

제 2 강---루틴은 전희   9

제 3 강---드라이브의 개취는 "튼실한 허벅지" 페티쉬   13

제 4 강---퍼팅은 그린위 사랑과 전쟁   18

제 5 강---스윗 스팟은 G 스팟   24

제 6 강---휘어진 꽈추   28

제 7 강---부부의 세계: 골프장 버젼   32

제 8 강---골프백 속이 궁금하다!   38

제 9 강---명기를 찾아서…   51

제 10 강---시니어를 위한 색골.   58

에필로그   64

왜 색골인가?

왜 색골인가?

뭐 특별한 이유는 없다. 그냥 남들보다 좀 더 잘 알것 같아서다. 이것도 재능이라면, 다른 사람과 나누고 싶다. 특히 39 금의 무게를 견딜수 있는 사람과 소통하고 싶어서다. 어른들을 위한 골프 이야다. 부담없는 사이끼리 술자리에서 찐한 골프 이야기를 주거니 받거니 하고싶다.

꽃중년은 어떤 사랑과 섹스를 꿈꿀까? 가족끼리는 그러는거 아니라는 신념을 가졌다면, 새로운 파트너를 찾으면 된다. 가족끼리도 가능하다는 금슬좋은 부부라면, 신혼시절을 떠올리며 사랑을 나누면 된다. 돌싱이라면, 맴가는대로 파트너 구하면 될일이다.

이글은 골프를 사랑행위로 풀어본 이야기다. 가볍게 웃으면서 들어주길 바란다. 참고로 난 미국 티칭프로 자격증이 있는 사람이다. 엉터리 골프이론은 아니라는 점 양해바란다.

색골이라는 용어를 내가 처음 사용하는지는 모르겠다. 색골이라는 개념으로 골프이론과 문화를 이야기 하는 것도 내가 처음인지도 모르겠다. 영어 Sexual Golf 도 그렇다

4

제 1강

스윙은 사랑의 몸섞기

제 1 강 --- 스윙은 사랑의 몸섞기

섹스를 있어보이게 "사랑의 몸섞기"라 표현하겠다. 아버지를 아버지라 부르지 못하고, 형을 형이라 부르지 못하는 홍길동의 한이 이해된다. 그렇지만 "삽입" "사정"같은 분위기깨는 단순무식한 용어는 쓰고싶지는 않다.

정치인은 말빨로 먹고산다. 주둥아리와 세치혀가 90%다. 꽃중년 사랑의 90%는 거시기와 세치혀가 남주와 여주로 열연하는 "몸섞임"이다. 골프의 90%는 스윙이다. 앞뒤, 좌우 잘 조정해 흔들어야 한다. 어떻게 흔들어야 하는가? 잘 흔들면 된다!

잘 흔들려면 리듬을 타야한다. 골린이나 가끔 중급자도 업스윙은 천천히 했다, 꼭대기에서 머뭇거리다가, 다운스윙은 뭐가 그리 급한지 내리친다. 당근 리듬이 깨질수밖에 없다. 리듬을 탈려면, 정상속도보다 빠른듯한 느낌으로 업스윙하고, 꼭대기에서 멈추지않고, 바로 천천히 내린다는 느낌으로 다운스윙하는게 좋다. 그러나 실제로는 느낌만 그렇다뿐이지, 실제 속도는 거의 정상과 같다. 특히 꽃중년은 골반돌아가는 게 시원찮기때문에 빠른듯한 업스윙은 골반을 자연스럽게 돌려주는 효과가 있다.

중급자와 고수에게는 래깅(lagging)이라는 게 꼭
필요하다. 파워와 컨트롤을 위해서다. 래깅은
꼭대기에서 취한 자세를 임팩트순간까지 감당할수
있을만큼 유지하려는노력이다. 누가 뒤에서 팔을
당겨주는 느낌이다.

스윙은 몸을 섞는 사랑행위로 볼 수 있다. 파트너의
몸속으로 내몸이 들어갈때 천천히 들어갔다,
머뭇거리다 확 빼버리면, "이 시끼 뭐하는
시끼야!"라는 눈총을 받는다. 천천히 들어가는 건
오케이! 그런데 안에 있을거면 제대로 할거 하면서
있든지, 그도 아니고 허망하게 빼버리면 어이없다.
아무것도 안하고 도망가면 꼭지돈다. "기모찌
이이"(일본 거시기 용어로 기분좋다라는 뜻. "기분
쥑인다"의 일본말은 "기모찌 스고쿠 이이". 한국
버전은 "좋아?" 물어보면 "좋아!"라 대답하는
것))를 준비한 파트너에겐 큰 실망을 안겨준다.
어느 한국 학원폭력 영화대사 처럼, "그라모 안돼!"

남주의 거시기가 살짝 빠르게 들어왔다,
머뭇거리지않고 자연스럽게 서서히 나가면 그
아쉬움이 커진다. 그래서 나가는 남주의 거시기를
붙잡으려 여주의 거시기속은 온통 돌기로
가득해진다. 그냥 나가는게 너무 아쉬워 방해물을
만드는 셈... 남주는 여주의 이런 간절한 마음을 잘
헤아려 주어야한다. 그래서 "래깅"이 필요한 거다.
최대한 끌려는 배려가 있어야되고, 이런 과정이

반복되면서, 드디어 서로가 한몸임을 느낀다. 완벽한 스윙이다.

"기모찌 이이"가 "이쿠"로 레벨업된다. 일본 거시기 용어 "이쿠"는 간다는 뜻이다. 여주가 "이쿠, 이쿠..." 울부짖으면 완벽한 스윙이 이뤄졌다는 의미다. "뭘 자꾸 간대?"라고 이해못하는 사람을 위해 일본어 해설을 하자면, "이쿠"의 한국식 표현은 "뿅 간다". 죽는다를 "이쿠"라고도 하니까, "죽을만큼 좋다" "죽어서 천당간다"는 뜻! 미국 거시기 영화에는 여주가 "컴 컴 come, come..."한다고 한다. "뭘 자꾸 온대?" 천당에서 마중나온다는 뜻이란다.

가즈아! 완벽한 스윙!

제 2 강---루틴은 전희

스시 집에 가면, 메인요리 전에 전채가 나온다.
호박죽, 샐러드가 속을 자극해 메인요리를 맞을
준비를 해준다. 삼계탕을 시키면, 인삼주를 먼저
준다. 장어구이 먹기전에는 복분자 한잔 들이킨다.
오줌줄기가 요강을 뒤엎는다는 산딸기(국산 검은
래스베리) 술...메인요리를 먹기전에 속을
준비해주는 역할을 한다.

골프에서 루틴도 마찬가지로 호박죽이요, 인삼주요,
복분자다. 흔히 힘빼라고 하는데, 루틴이 제일 좋은
방법이다. 구력 10 년쯤 되면, 골프에서 힘을
뺀다는 것이 이런거구나 터득하게 된다. 그래서
힘을 빼기위한 자기 나름의 루틴이 다 있다.

루틴이란 본격 스윙전에 늘 하는것, 가령 빈
스윙으로 몸을 릴렉스시켜 주는 걸 말한다.
사랑행위에서는루틴이 전희다. "몸섞기" 전에
충분히 달아오르도록 하는 애무가 전희다. 그런데
골프에서의 루틴과 사랑에서의 전희는 많이 다르다.
루틴은 짧을 수록 좋지만, 전희는 충분한 시간을
가져야한다. 성의학에서는 가령, 전희가 15 분이면,
"몸섞기"는 5 분을 권장하고 있다. 전희없는
"몸섞기"는 육체의 대화를 파국으로 몰고갈 수
있다. 성의학에 따르면, 여주가 오르가즘을 느끼기

전에 남주가 사정하는 걸 "조루"라고 한다. 그러나 골프에서는 루틴이 조루이면 댕큐다. 5 초면 충분하다. 시간이 길어질수록 머리에 생각이 많아져, 스윙을 망치는 경우가 허다하다. 주변 동반자들의 따가운 눈총도 받는다. 연예계 랭킹 1 위라 불려지는 김국진의 루틴은 5 초도 걸리지 않는 것 같다. 스윙이 실패할 수가 없다.

골프에서 "빈 스윙"은 중요한 루틴이다. 빈 스윙이 바람 가르는 소리를 내면, 힘빼고 스윙을 했다는 증거다. 골프채의 샤프트가 바람을 갈라 내는 소리가 경쾌하게 "휙, 휙"하면 비거리와 방향이 보장된다. 특히, 드라이버나 우드, 유틸리티의 샤프트는 주로 그라파이트 재질로 되어있는데, 바람가르는 소리가 경쾌하다. 스틸 아이언도 힘빼고 휘두르면 바람가르는 소리가 난다. 물론 힘을 줘 클럽을 무지막지하게 세게 휘둘러도 소리는 난다. 그러나 아닥하고 억지로 집어넣으려 하면, 들리는 건 여주의 불쾌한 비명소리뿐이다. 바람가르는 소리가 경쾌하면, 스윙도 좋아진다.

여주가 "기모치 이이"한다고 그대로 믿어선 안된다. 정말 좋아서 나오는 소리가 아니라, 그냥 연기일뿐일 경우도 있다. 상대방 파트너 눈치를 보면서 기분맞춰주는 립서비스다. 정말 좋아서 나오는 교성은 "기모치 이이"도 아니고, "이쿠, 이쿠..."도 아니다. 명치 깊은 곳에서 울려나오는 외마디 탄성이다. 드라이버 스윙할 때 잘 알수 있다.
힘을 뺀 상태에서 스윙이 나와야 깊고 정확하게
파트너의 그곳으로 들어간다. 내 경우, 드라이버의
임팩순간 명치 깊은 곳에서 "끙" 외마디가 나오면,
볼은 원하는 비거리에, 원하는 지점으로 안착한다.
물론 몇 라운드에 한번 있을말까할 정도로 더문
일이다. 욕심부린다고 맴대로 되진 않는다.
욕심부린다고, 상대를 만족시킬순 없다.

스윙을 하기전 아주 중요한게 "어드레스"다.
스윙전에 취하는 발의 방향이다. 가끔 중급자들도
골프의 기초중의 기초, 어드레스를 엉터리로 한다.
나도 아주 피곤할때는 가끔씩 실수를 한다. 아무리
스윙이 좋아도 처음부터 어드레스가 잘못되어
있으면, 말짱 꽝이다. 발의 방향대로 쭉쭉 뻗어
나간다. 허망하게도...

마치 총각딱지 떼는 남주가 여주의 옥문을 제대로
못찾고 엉뚱한데로 들어가다 "아~C!" 한소리 듣는
것과 같다. 이런 황망한 경우가... 여주의
거시기에는 문이 3 개있다는 기초중의 기초는 좀
알고 사랑을 나눠야지! 물론 여주가 달아오르면,
가운데 옥문이 열려, 초보 남주가 길잃을 일은 없다.
그래서 전희가 필요하다.

루틴은 짧게, 전희는 충분히!

제 3강

드라이브의 개취는 "허벅지 페티쉬"

제 3 강---드라이브의 개취는 " 튼실 허벅지"
페티쉬

지인중에 여성의 '허벅지'만 보면 주체를 못하는
이가 있다. "허벅지 페티쉬"라 한다. 개취(개인의
성적 취향)가 허벅지다. 다른거 안하고, 허벅지만
탐해도 성적 만족을 한다. "엉덩이 페티쉬"는
엉덩이만 탐하고, 다른 좋은 데(스윗 스팟)는
눈길도 안준다. 꽃중년중에는 의외로 이런 개취를
가진 이가 적지 않다. 페티쉬는 주로 남성에
해당된다. 물론 남자의 딴딴한 허벅지에 꽂힌
꽃중년 여성들도 많다. 힙업된 엉덩이를 눈으로
탐하기도 한다. 페티쉬는 아니다. 남자의 딴딴한
허벅지와 힙업 엉덩이를 탐하는건 전희 단계다.
튼실 허벅지와 힙업 엉덩이가 진가를 발휘하는
환상의 "몸섞임"을 고대하기때문이다.

골프에도 페티쉬가 있다. 드라이브는 "튼실한"
허벅지에서 성적 흥분을 느낀다. 드라이브에 진심인
꽃중년 골퍼라면 뭣이 중한디? 거시기보다는
허벅지다. 허벅지가 튼실해야 다운스윙할때 무릎과
무릎사이에 간격을 충분히, 딴딴히 줄수 있다.
그래야 꽃중년의 골반회전이 부담스럽지 않다.

드라이브는 사랑의 첫 행위에 해당되기에, 간지나고
뽀대나야 한다. 눈호강 담당이다. 이성간에는

눈호강이 출발점이다. 출발이 좋으면, 이후 쭉쭉 잘나갈 확률이 높다.

드라이브 때릴때 티의높이도 중요하다. 개취에 따라 높이도 다르다. 볼이 높이, 멀리 가길 원하는 골퍼는 티의 높이를 조금 높게, 낮고, 멀리 스텔스 미사일의 탄도를 원하면 조금 낮게 꼽는다. 나의 개취는 후자다. 관종기질이 있다보니, 간지나고 뽀대나는 걸 추구한다. 단 튼실한 허벅지가 받쳐주지 않으면, 볼이 슬라이스 날 확률도 높다.

드라이브의 스윙은 다른 스윙과 궤도가 좀 다르다. 비거리가 우선이기 때문이다. 드라이브의 스윙궤도는 최저점에서 올라가자말자 스윗 스팟을 때려주어야 한다. 그러나 이게 평소에 숙달되어 있지않으면 실수한다. 드라이버로 뒷땅을 치는 황망한 시츄에이션이 발생한다. 서두르면 벌어지는 참사다. 뭐든지 서두르면, 일을 그르친다. 사랑을 나눌때 조급한 마음에 옥문앞을 기웃거리다 그만 거시기해버리는..."기모찌 이이" 는 커녕, 쌍욕이나 안들으면 다행이다. 이런 황망한 방사를 봤나! 중년여성이 되면 느는 욕이 2 가지 있다고 한다. 식욕과 쌍욕! 쌍욕까지 들어가면서 거시기할순 없지않은가!

드라이브는 팔로우 스윙이 정말 중요하다. 비거리와 방향을 결정짓기 때문이다. "팔로우 스윙(스루)"이란 임팩을 지난후에도 스윙을 계속

가져가는걸 뜻한다. 현장에서 보면, 4 가지 타입의
팔로우 스윙이 있다. 1. 끝까지 돌려주고, 공이
안착할때까지 자세를 유지하는 타입---프로나
고수에게서 보인다.2. 한번 끝까지 돌려주었다가
풀지만, 골반의 방향은 유지하는 타입---허리
회전이 부담스러운 꽃중년 고수가 해당된다. 3.
임팩지나자 말자, 발 자세를 풀고, 날아가는 볼을
직관하는 타입---골린이나 대부분의 주말골퍼가
해당된다. 4. 거기다 팔까지 허리에 얹는 타입---
꽃중년중에는 자기도 모르게 이런 자세를 취하는
사람이 의외로 많다.

1 번 타입이 최선이지만, 허리 회전과 골반 회전이
쉽지않은 꽃중년 골퍼에겐 무리다. 무리하게,
의식적으로 허리와 골반을 돌리면 뽀사진다. 제
1 강과 제 2 강에서 설명한대로 스윙을 하면,
자연스럽게 "팔로우 스윙"이 된다. 다만, 임팩후
스윙을 방치하지 말고, 손끝으로 살짝 컨트롤만
해도 비거리와 방향, 2 마리 새를 잡을 수 있다.
임팩순간 듣는 경쾌한 교성은 덤...

"팔로우 스루"는 "몸섞기"후 사랑스런 눈으로
마주보며 행하는"후희"다. 볼일 다 봤다고 등돌리는
넘은 , 쌍욕 얻어먹어도 싸다. 토닥토닥하는 배려가
필요한다. 골프 드라이브에서 "후희"란 임팩후
손끝으로 살짝 컨트롤하는 것이다.

골프는 인생과 같다. 여러번 기회가 주어진다. 드라이브를 망치면, 아이언 잘 치면 되고, 아이언 망치면 어프로치 샷으로 만회하면 된다. 다 망치더라도 마지막에 구멍에 잘 넣으면 그 인생 성공이다. 젊은 시절 잘 나간 사람이 인생후반까지 잘 나가긴 쉽지않다. 마찬가지로 젊은 시절 더디게 나가도 인생 후반을 멋지게 사람도 주변에서 많이 본다. "총량 불변의 법칙"이라는게 있다. 젊어 고생한 사람은 나이들어 편하게 살고, 젊어 호사를 누린 사람은 나이들어 고생한다. 총량은 같다. 사랑행위도 총량은 같다. 공평하다. 그러니 거시기가 예전만 못하다고 풀죽을 필요없다. 예전에 많이 사용했으면, 쉬어 가는게 순리다. 유난히 밝히는꽃중년은 그전에 못한 한풀이를 하는거고...

드라이브를 잘 치면, "기모찌 이이"다. "이쿠, 이쿠..."까지 기대할 수 있다. 드라이브 망쳐도 실망하 진 말자! 구멍에 잘 넣고 마지막에 웃으면 되니까...

다음 이바구는 구멍넣기! 퍼팅!

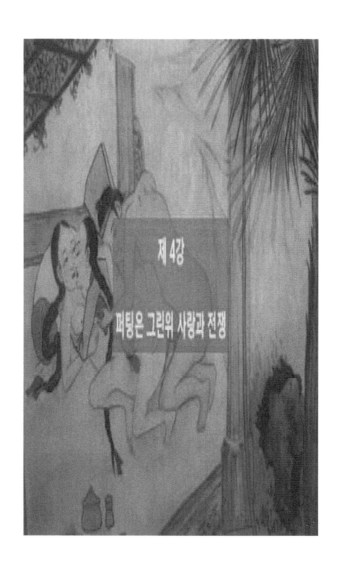

제 4강

퍼팅은 그린위 사랑과 전쟁

제 4 강---퍼팅은 그린위 사랑과 전쟁

골프는 그린위에 뚫어진 구멍에 볼을 집어넣으면서
완성된다. 직경 12 센티, 깊이 10 센티 구멍에 직경
5 센티의 볼을 넣는데 이보다 힘든 일은 없다.
1 퍼트로 버디를 잡는 건 프로에게도
운 7 기 3 이다. 퍼팅만큼 이론이 많은 것도 없다. 다
저마다의 경험에서 우러나온 퍼팅이론, 비결
한가지씩 가지고 있기때문이다.

퍼팅이 이뤄지는 그린은 단위면적당 인구수가 제일
많고, 많은 시간을 보내는 곳이다. 그래서 꽃중년
여성들의 아찔한 패션대결장이기도 하다. 남자가
해수욕장에 가기위해 몸을 빌드업시킨다면, 꽃중년
여성들은 골프장에 가기위해 몸관리를 하고, 패션에
진심이다. 무릎위 한참 올라간 미니 스커드는
언제부터인가 골프 패션의 필수 아이템이 됐다.

그린위의 인구밀도에 캐디도 한몫한다. 미국이나
일본에 사는 골퍼들은 캐디 의존도가 높은 한국식
캐디문화가 낯설다. 캐디는 조선시대 상궁을
생각나게 한다. 조선시대 임금과 왕비의 합궁은
사랑유희를 위한게 아니다. 후계를 만들기위한
국가차원의 성노동이다. 상궁중 짱인 "제조상궁"과
천문을 담당하는 "관상감"이 합궁일을 정한다.
얼마되지도 않는 가임날짜중 임금이 술쳐먹은 날,

후궁과의 방사로 진빠진 날 등등 빼고 나면, 합궁일
정하기도 힘들다. 합궁일이 정해지면, 환갑지난
상궁 8 명이 합궁 침실에 들어간다. 그리고 합궁
코치로 빙의한다. 캐디가 깨알같은 퍼팅기술을
코치하듯...심지어 "사정" 시점까지 코치한다.
상궁은 왕비가 느끼기위해 골반 돌리는 것까지
통제한다. 성노동에는 삘을 허락하지 않기
때문이다. 임금이나 왕비에겐 거시기가 고역이다.
그래서 임금은 후궁에게서 삘을 찾게 된다.
후궁과의 방사에는 이런 통제가 없기때문이다.
노동에서 해방되니, 오히려 애가 잘 들어선다.
조선시대 양반들도 정실부인과는 후계를 위한
성노동만 한다. 노동에 지친 양반들은 "가족끼리는
그러는게 아니지!"라는 핑계를 대면서, 소실을
맞이했다.

퍼팅때도 "어드레스"는 중요하다. 내 경우, 볼을
왼쪽 눈 바로 밑에 둔다. 그래야 구멍 위치를
확인할때 시야가 덜 굴절되기 때문이다. 두눈사이
아래 볼을 두면, 볼이 왠지 구멍 왼쪽(왼손잡이는
반대)으로 갈 것같은 느낌이 든다. 왼쪽 눈
아래두면, 볼이 덜 왼쪽으로 갈 것은 위안을 준다.
그리고 퍼팅은 똑바로 치면 된다. 눈이 구멍
왼쪽으로 가는데도 퍼터를 닫아치는 일이 다반사다.
똑바로 치면, 마치 열려 치는듯한 느낌을 받든다.
이게 정상이다.

퍼팅때 장갑을 "끼느냐, 벗느냐"는 순전히 개취다. 프로들은 대개 장갑을 벗는다. 민감한 손터치를 느끼기 위해서다. 말하자면, 남주 거시기의 신경세포가 여주 거시기를 구석구석 느끼기위해 콘돔을 사용하지않는 바와 같다. 콘돔을 껴야 안심되고, 편안하다면, 그리하면 된다. 개인의 성적취향은 존중받아야 마땅하다. 많은 여성 골퍼들은 한손에, 심지어 양손에 장갑을 낀다.

퍼팅 소리도 중요하다. 둔탁한 소리보다, 경쾌한 소리가 좋다. 소리가 나지 않으면 더 좋다. 퍼터도 스윗 스팟이 있다. 퍼터 중앙에 그어져있는 선에 볼이 정확히 맞으면, 경쾌한 소리가 난다. 대개 롱펏인 경우, 볼을 태워보낼때 경쾌한 소리가 나면 퍼팅 잘한 것이다. 숏펏인 경우, 끊어 치기때문에 잘 맞으면, 소리가 안난다.물론 구멍에 들어갈 확률은 높아진다. "사랑의 몸(살)섞기"할 때도, 정말 느꼈다면 오히려 "기모찌 이이"나 "이쿠, 이쿠..."따위 소리가 안나온다. 외마디 경쾌한 비명소리만 들릴뿐이다.

퍼팅이론에 2575 라는게 있다. 퍼팅의 귀재 왼손잡이 "필 미켈슨"의 지론이다. 퍼터가 뒤로 25%로 가면, 앞으로는 75%가라는 뜻이다. 내 경험으로도 뒤로 조금만 가고, 앞으로 좀 더 가게 퍼팅하면 성공확률이 높기는 하다. 이러면 경쾌한 소리가 나거나, 아예 소리가 안난다. 부드러운

터치는 구멍 주위를 핥아도 결국 구멍안으로 들어가 경쾌한 주석 소리를 내준다. 센 터치는 들어왔던 볼도 내뱉어내버린다.

그린위에서 캐디에게 의지하는 주된 이유는 "구멍에 이르는 경사도"를 읽는 게 어려워서다. 구멍까지 가는 길의 좌, 우, 전, 후 경사를 잘 읽는 게 고수에게도 쉽지 않다. 내 경우, 천원짜리 "수평계 볼마커"로 읽기 연습을 한다. 수평계속 물방울이 있는 방향이 높은 쪽이다. 100% 정확하진 않지만, 얼추 들어맞는다. 사랑할때 도구의 도움을 받는 경우와 같다. 사랑도구는 비싸겠지만, 수평계 볼마커는 천원짜리 한장이면 된다. 물론 그린위에서 수평계를 사용하는 것은 룰위반이다. 현행 대회룰이 "거리 측정기"는 사용가능하나, 그린위 라이 읽기도구는 사용불가다. 수평계로 연습해놓으면, 실전에 들어가서 라이 읽기가 쉬워진다. 내경우, 실제 필드레슨때 수평계로 효과를 많이 봤다.

퍼터가 두툼한 몰렛 타입이냐, 날씬 블레이드 타입이냐도 개취에 따라 선택이 이뤄진다. 롱퍼터냐 숏퍼터냐도 마찬가지...아닥 길고 크다고 여주를 만족시키진 않는다.

퍼팅은 전희, 본게임, 후희가 다 들어가 있는 한편의 거시기(어덜트) 비디오를 보는듯하다. 그린위 구멍과 여주의 구멍은 같은듯 또 다르다. 직경 12 센티의 넓이, 10 센티의 깊이를 가진 구멍은

찾아 넣기가 참 애럽다. 가는 길의 전후좌우 사정을
잘 헤아리는 노력이 필요하다. 크기는 그린위
구멍보다 훨씬 작은 여주의 구멍은 닫혀있거나
조금 열려있어도, 신기하게도 자동안내되는 기적을
맛보기도 한다. 전희가 충분하면 말이다. 퍼팅도
패팅(전희 애무)이 필요하다.

그린위에서는 총성없는 전쟁이 치뤄지기도 한다.
볼이 구멍에서 "우정에 금가는" 거리에 놓였을때다.
친구사이라도 내기 골프라면, "옥케이" "컨시드"에
인색할수밖에 없다. 그러나 "사랑에 금가는"
거리라는 건 없다. 가족사이인 부인과는 전우애로
살기때문에, 동반 플레이할때 "우정에 금가는"
경우가 허다하다. 그러나 여친이나 남친, 애인과
동반 플레이할때는 "옥케이" "컨시드" 범위가
갑자기 넓어진다.

퍼팅과 사랑은 후회도 중요하다. 퍼팅후 서로
덕담안해 주면, 섭하다.자기 볼일 났다고 등돌리면,
쌍욕세례 쳐 맞는다.

퍼팅은 한 라운드를 마무리짓는 결정타다. 사랑을
아름답게 마무리짓는다. 인생도 말년이 좋아야
성공한 인생이다.

제 5강

스윗 스팟은 G 스팟

제 5 강---"스윗 스팟"은 "G 스팟"

골퍼가 필드에 나가 바라는 건 개취에 따라 다르다.
스코아를 하나라도 더 줄인다는
목표...동반자중에서 돋보이고 싶은 작은
바램...동반자와 어울리는게 그냥 좋은
거...내기에서 이기는 거...

난 주로 새벽 첫티업 시간에 혼자서 3 시간안에
라운드를 마친다. 내가 라운딩때 추구하는 건
되도록 많이 볼을 골프채 헤드의 스윗 스팟에
맞히는 것이다. 흔히 말하는, "손맛"을 느끼고 싶다.
볼이 스윗 스팟에 맞을때 손끝에서 전해오는
전율과 쾌감을 좋아서다. 손맛이 좋을때는 스코아도
따라온다.

골프채 헤드의 "스윗 스팟"은 헤드의 무게중심과
볼의 무게중심을 이은 선이 맞닿는 지점을 말하다.
스윗 스팟에 볼이 맞으면, 빠르고 멀리, 똑바로
날아간다. 경쾌한 소리는 귀호강시켜준다. 난 이
맛에 골프친다. 성감대를 제대로 터치하는
맛이랄까...

스윗 스팟은 여성 거시기의 "G 스팟"이라 할수
있다. G 는 독일의 어느 산부인과 의사의 이름
이니셜이다. 1950 년대 그걸 발견했다고 한다.
대한민국이 6.25 전쟁으로 신음할때, 독일은

차원이 다른 신음을 연구한 셈이다.역시 선진국과 후진국은 삶의"질 "차원이 다르다.

G 스팟이 발견되기 전, 여성 거시기의 성감대는 "클리토리스"(음핵) 하나다. 둘의 차이는 클리토리스가 "질 외부"에 있다면, G 스팟은 "질 내부"에 있다. 물론 G 스팟이 실재하는 것이냐, 아니냐가 성의학자에 따라 논란이 많다. 그러나 일반인 입장에서는, 질 내부에서 오르가즘과 "여성 사정"을 경험해봤으면 실재하는 것이고, 경험못해도 경험해보고 싶어 실재한다고 믿고싶은 것이다. 몇해전 어느 의과대 여대생이 유튜브에 G 스팟 관련 동영상을 올려 화제가 됐다. G 스팟이 화제가 된게 아니라, 이 여대생의 아버지가 서울법대 조 모교수라는 땜에..."어그로"를 끌기위해 내건 "섬네일"이 지린다. "여자는 이걸 건드리면, 울고불고 난리납니다"...

스윗 스팟의 정확한 위치는,다시 말해, 클럽 헤드의 G(무게중심 center of gravity)는 헤드의 정중앙은 아니다. 드라이버는 정중앙의 약간 위, 아이언은 정중앙의 약간 "힐" 쪽이다. 요즘 나오는 클럽 헤드는 G 가 되도록이면 정중앙에 가깝게 가도록 설계된다.

사실 주말 골퍼는 굳이 스윗 스팟에 집착할 필요없다. 대충 헤드의 중앙에 볼이 맞아도 댕큐다. 마찬가지로 사랑을 나눌때 굳이 G 스팟을

공략하지않아도 된다. 대충 클리토리스를 자극해도
서로 해피하다. 클리토리스라는 확실한 성감대가
있는데, 왜 신경써가며, 있는지 없는지도
분명하지않은 G 스팟에 목매달아야 하는가!
꽃중년에겐 거시기가 살아만 있어도 댕큐다.

그러나 싱글을 지향하는 골퍼에게 스윗 스팟은
중요하다. 질 내부의 성감대를 자극하고 싶다는
욕망이 크다. 스위 스팟은 "G"(무게 중심)다. 스윗
스팟은 "G" 스팟이다.

"질 만세!" (Viva la Vagina!), Viva la Sweet
Spot! Viva la G Spot!

제 6강

휘어진 꽈추

제 6 강---휘어진 꽈추

요즘 유튜브(오정 TV)를 보면, 39 금은 족히 될만한
거시기 이바구가 나온다. 마흔 언저리쯤의 전직
여가수와 전직 기상캐스터의 입담이 거침이 없다.
말빨이 지린다. G 스팟, 여성 사정 이바구가
여과없이 오고간다. 오십 언저리쯤의 비뇨의학과
남자 의사는 자신의 유튜브 이름을 "닥터조물주
꽈추형"이라 붙였다. 역시 거침없는 거시기
이바구가 철철 넘친다. 남자 거시기를 우스꽝스럽게
"꽈추"란다.

가린다고, 쉬쉬한다고 있는게 없어지진 않는다.
금욕의 상징 인도의 '간디'도 일생중 가장
고통스러웠던 게 성욕을 참는 것이라 고백했다.
20 대까지 섹스에 탐닉했던 간디는 30 대에 갑자기
금욕을 선언한다. 섹스에 열중하느라 아버지의
임종을 지키지 못한 죄책감때문이라는 썰도 있다.
노년에는 기이한 "잠자리 자기단련"이 입방아에
올랐다. 젊고 이쁜 여자들을 발가벗겨, 역시
발가벗은 자신옆에 눕게했다. 유혹을 이겨내는 그런
자기수양을 했다는 것이다. 서로 몸을 탐하긴 해도
살은 섞지 않았다고하니 참 대단한 자기수련이다.
간디의 "꽈추"는 전생에 뭔 죄를 지었기에
늘그막에 그런 시련을 겪는지…꽈추가 곧추서는
자연의 섭리를 억지로 거역하고 있으니…

골프에 입문할때 제일 많이 듣는 말 4 가지가 있다.
1. 머리 쳐들지 마라! 2. 백스윙할때 왼팔은 쭉
펴라! 3. 하체는 고정시켜라! 4. 다운스윙할때
오른쪽 발을 땅에서 떼라!...젊고, 몸이 유연한
골퍼에게는 피가 되고, 살이 되는 조언이다.

그러나 꽃중년에겐 무리다. 그렇게 하려다 몸만
경직되면서 샷을 망친다. 꽃중년 골퍼는 스윙따라
머리 좀 움직여도 된다. 왼팔? 좀 구부려질 수밖에
없다. 몸이 안따라주니 어쩔수 없다. 하체? 당근
움직인다. 튼실한 허벅지를 가졌으면, 좀 덜 움직일
뿐이다. 스쿼드 운동이나 사이클링으로 허벅지를
딴딴하게 만들면, 스윙할때 덜 흔들린다.
다운스윙할때 오른쪽 발 떼는 거? 정석은 임팩이후
오른쪽 발을 땅에서 떼는 것이다. 그러나 꽃중년
골퍼는 발떼기를 아예 할수 없거나, 다운스윙
하자마자 발이 떼진다. 슬프게도 중년 몸이 그렇다.
다만, 임팩순간까지는 발바닥이 되도록이면 땅에
가깝도록하는 연습이 필요하다.

백스윙할때 되도록 왼팔을 펴는게 맞다. 그러나
억지로 펴려하면, 근육수축으로 샷이 망가진다.
막무가내로 왼팔을 펴려다 오른팔까지 펴는 참사가
벌어진다. 백스윙할때 오른팔은 팔꿈치가 90 도
꺾어져야한다. 왼팔의 근육수축으로인해 목,
어깨까지 경직되기 일수다. 릴렉스…긴장을 풀어야

좋은 샷이 나온다. 그러니 백스윙할때 왼쪽팔이 좀 구부려져도 다운스윙할때 펴지면 된다.

꽃중년의 꽈추는 발기할때 대개 끝이 좀 휘어져있다. 젊은 꽈추라면, 곧추세워지는게 당연하겠지만⋯어쩌랴! 세월이 그런 걸⋯희망을 갖자! 끝이 그러니 G 스팟 찾는게 훨씬 수월할테니까⋯G 스팟은 질(바기나) 내부입구에서 검지 2 마디정도 위치 윗벽에 붙어있다고 하니까⋯

스윙에 파워가 실리려면, 백스윙때 왼쪽팔을 펴야한다. 곧추선 힘찬 꽈추는 당당하게 입성할 수 있다. 그러나 백스윙때 완전히 펴기가 버거우면, 다운스윙때 펴면된다. 좀 휘어진 꽈추도 기죽을 필요없다. 모양이 G 스팟을 자연스레 자극할 수 있으니까...

휘어졌던, 곧추세워졌던, 정성을 보이면 무시당하지 않는다.

꽃중년의 꽈추, 화이팅!

제 7 강---부부의 세계, 골프장 버전

"부부의 세계"는 몇년전 50 대 꽃중년 '김희애'가
주인공으로 나오는 막장 드라마다. 믿고 보는 막장
드라마라 고공 시청률을 기록했다. 사랑과 배신,
불륜과 복수…

"내로남불"…대한민국의 현재 정치문화를 한마디로
잘 보여주는 K-정치용어다. 야당대표에 대한
구속영장 청구서에도 이 단어가 버젓이 들어간다.
K-법률용어 반열을 넘보는 수준이다. 내가 하면
로맨스, 남이 하면 불륜…골프장에서도 적용된다.
내 가족(가족끼리는 그러는게 아니라는 아내,
남편)이 그러면 열불나지만, 내가 애인이나 여친,
남친과 라운딩 돌땐 열라 좋다는…이들에게
"불륜"이란 용어도 무지 불편하다. "윤리에
반하다니! 뭔 조선시대도 아니고, 서로 좋아 운동도
같이하는 로맨스를!"…

"내로남불"이란 말은 20 년전쯤 박희태 전
국회의장이 만들어 냈다. "내가 하면 예술, 로맨스,
투자, 남이 하면 외설, 스캔들, 투기"…박 의장은
골프장과 악연이 깊다. 여성 캐디의 가슴과
엉덩이를 만진 성추행 스캔들이 시끌벅적했다.
해명이 더 안습이다. 딸같아서, 손녀같아서, 이뻐서,
귀여워서 손가락으로 가슴을 함 찔러봤단다.

예전에는 골프장에서 심심찮게 캐디 성희롱,
성추행이 있었다. 요즘 세상에는 상상도 못할
일이다. 요즘은 골프장이 바람의 현장이란다.
저렴한 현장이 산이라면, 돈드는 현장이
골프장이다.

여유가 있는 꽃중년에겐 골프가 삶의 활력소다.
갱년기를 경험한 중년 여성에겐 특히 그렇다.
성욕은 줄어드는데, 식욕과 쌍욕은 늘어난다.
남편이 밥먹을때 쩝쩝 소리만 내도, 죽일만큼
그렇게 싫단다. 드라마보면서 눈물흘리는 모습은
오만정 다 떨어진단다. 탈출구가 골프란다.
친구들과 멋있고 야하게 차려입고 필드에 나가
볼을 날리면, 힐링이 된다.

꽃중년, 꽃할배, 꽃할매라도 젊고 이쁘고 몸매좋은
상대를 좋아한다. 요즘 트로트가 중년이후 남녀의
사랑을 뜸북받는 것은 트로트를 부르는 가수가
젊고 이쁘고 몸도 좋기때문이다. 그래서 '양지은'
'홍지윤'에게 중년 남성은 팬심 가득한 사랑을 준다.
'임영웅'은 중년 여성의 최애 가수가 된다. '김용필'
'장민호'처럼 젊지 않아도 멋있게 생기고 몸이
좋으면 핑크빛 팬심을 보낸다. 하여간 몸이
좋아야한다.

"남자의 이상형은 처음보는 여자"라는
우스갯소리가 있다. 게다가 젊고 이쁘고 몸매
좋으면 이보다 더 좋을순 없다. 우스갯소리가

아니라, 역사가 팩트로 증명한다. 조선시대 숙종임금이 좋은 예다. 숙종, 장희빈, 인현왕후 사이에 벌어졌던 조선왕실 "여인열전"이다. "부부의 세계" 조선왕실 버전이랄까…

숙종은 미색이 출중하고 끼가 충만한 '장옥정'에 첫눈에 반했다. 처음보는 여자가 이상형! '희빈'의 직책을 받고 후궁이 된 장희빈에게 인현왕후는 상대가 되지않는다. "숙종 쟁탈 여인열전"에서는 장희빈의 압승! 임금과 국가적 차원의 성노동을 하는 인현왕후, 농염한 사랑놀이하는 장희빈은 초장부터 게임 끝! 장희빈은 왕비자리까지 꿰찼다. 그러나 사랑의 '토파민' 호르몬은 5년을 넘기지 못한다. 왕비가 된 장옥정도 성노동을 할수밖에…성노동에 지친 숙종은 이상형을 새로이 찾는다. 궁궐에서 허드렛일하는 "처음보는" '무수리'에 꽂힌다. 이 무수리가 낳은 아이가 '영조'다. 영조는 60대 나이에 15살 "처음보는" 여자를 왕비로 맞이한다. '정순왕후'다. 며느리보다 10살 어리다. 영조는 15년간 정순왕후와 잠자리를 같이 했다하니, 대단한 노익장이다. 역시 "처음보는 여자"가 이상형인가…

골프장에도 "부부의 세계"가 있다. 유혹, 바람, 배신, 복수…하와이 현장에서 지켜보면 재미난다. 애인사이는 나이차가 많이 난다. 60대 남성과 40대 여성, 50대 남성과 30대 여성의 조합은 애인사이임이 90% 확실하다. 맨날 집밥만 먹으면 질리니 외식하는 거란다. 10%는 회사 사장, 회장과 여비서 조합이다.

그러나 가족(아내)과 애인의 골프웨어 패션은 구별이 안가는 추세다. 나이, 현 위치(부인이냐, 애인이냐)상관없이 골프장을 누비는 여성 골퍼는 몸매관리에 진심이고, 이들의 골프웨어는 무지 야하다. 미니 스커트 길이가 너무 짧다. 티박스에서 티를 꼽는 여성 골퍼들의 뒤태는 아찔하다. 퍼팅을 위해 그린위에 볼을 놓는 뒤태도 아재 골퍼들에겐 눈호강이다. 여성 골퍼 본인들이의식을 했든, 안했든 남성 골퍼들에겐 "없던 마음"도 생기게 만드는 유혹이다.

애인을 대하는 자세는 가족(아내, 남편)을 대하는 자세와 사뭇 다르다. 나이 차이가 안나보여 부부인가 싶어도 말투나 자세가 자상하면, 일단 애인사이로 볼수 있다. 남성 골퍼는 아내에게나, 애인에게나 뭘 자꾸 가르치려드는 습성이 있다. 가르치는 자세가 다를뿐이다. 애인에게는 "저래도 되나"(온갖 달콤한 배려)싶을 정도로 자상하다. 가족에게는 "저래도 되나"(온갖 잔소리와 지적질) 싶을 정도로 모질다. 운전과 골프는 남편한테 배우는 게 아니라는 확신만 심어준다.

가족(아내)에겐, "머리 들지마라! 공 끝까지 봐라! 허리 안돌려? 둔한 허리하곤...힘빼! 빨리 안치고

뭐해!..." 지적질이 끝도 없다. 애인에겐, "머리는
자연스레 돌아가는 거야! 골퍼 고수나 공을 끝까지
볼 수 있는 거야! 허리 너무 돌리면 다쳐요! 힘
좋습니다! 천천히 치세요!..." 달콤한 조언이 끝이
없다.

부부 사이와 애인사이는 행동하나 하나에도 많이
다르다. 부부는 당연하다는듯 각자 자기채를
챙긴다. 애인에게는 온갖채를 챙겨 대령한다.
가족의 샷은 못친 것만 찾아내 지적질해대고,
애인의 샷은 잘친것만 기억해 칭찬한다. 그늘집에서
가족에겐 물만 사먹이지만, 애인에겐 생과일 쥬스를
권한다. 가족이 도움을 요청하면, 미간부터
찌그러지지만, 애인이 부르면 에가오(웃는 얼굴)가
된다. 가족의 퍼팅은 30 센티도 끝까지 쳐라
전지훈련을 시키지만, 애인은 3 미터가 남아도
컨시드, 옥케이를 준다.

어쩌다 가끔은 자상한 부부도 있다. 금슬좋은 상위
1%에 해당될 뿐이다.

골프장에서 벌어지는 "부부의 세계"... 아슬하지만,
스릴이 있어 좋다. 너무 조선시대의 윤리적 잣대를
갖대 대지 않았으면 한다. 꼭 가족이 아니라도 멋진
사람과 재미있게 라운딩하는 즐거움은 중년과
노년의 삶을 아름답게 한다. 선만 지키면!

제 8강

골프백속이 궁금하다

제 8 강---골프백속이 궁금하다!

사람에게는 훔쳐보기 본능이 있다. 골프도
마찬가지다. 남의 골프백속이 무지 궁금하다.
"프로의 백속에는 주말 골퍼와는 다른 클럽들이
있지 않을까? 동반자는 어떤 클럽을 쓸까? 고수로
보이는 저 친구는 나와 다른 클럽을 쓰나?..."
사용하는 골프채만 봐도 고수인지, 아닌지 알 수
있기때문에 골프백속이 궁금하다. 대놓고 보기에는
자존심 상하니, 슬쩍 훔쳐본다. 골프잡지를 봐도,
대회우승자의 골프백속을 공개하는 페이지가 꼭
있다.

41

속이 참 궁금하다. 조선왕조실록에 보면, 여자
거시기를 "차마 눈뜨고 못 볼 곳" 이라 했다.
소중화를 자처한 조선의 유교정신 쩐다. 위선이다.
사실은 "눈 똑바로 뜨고 찬찬히 감상했던" 조선
양반들이다. 조선 영조, 정조 시절 김홍도와
신윤복은 그런 위선들을 풍속화로 풍자했다.
김홍도의 "빨래터"에 보면, 허벅지를 드러난
여인네들을 양반이 훔쳐본다. 일본말로
"노조키"...신윤복은 "단오풍정"에서 섹시한
허벅지를 드러내고 멱감는 여인네들을 동자승들이
노조키한다. 더 노골적인 춘화도 있다. 여성
거시기를 닮은 바위앞에서 사랑을 나누는 양반네와
여인...

조선 후기의 풍속화가 신윤복의 미인도입니다.
조선시대 미인의 치마 속을 들여다 볼 수 단 한번의 기회를
놓치지 마세요.

'Portrait of a Beauty' was painted by Shin Yun-bok, a
genre painter during the late Choson Dynasty.
Don't miss this opportunity to see inside of the skirts of
beautiful woman during the Choson Dynasty.

朝鲜后期风俗画家申润福的美人图。
不要错过了仅仅一次的窥视朝鲜时代美人裙下风光的
机会哦。

朝鮮後期の風俗画のシン・ユンボクの美人図です。
朝鮮時代の美人のスカートの中をのぞき見できるた
った一度のチャンスを逃さないでください。

조선시대나 지금이나 치마속이 궁금하기는 하다.
몇년 전 "신윤복 미인도" 전시회때 "예술
체험"용도로 조선 미인의 치마속을 들쳐보는
장치를 설치했다가 욕이란 욕은 바가지로 얻어먹고
철거시킨 일도 있다. 거시기 함 보겠다는 데 뭘 그리
예민하게 그러시는지...

명품가방을 봐도 지퍼속 거시기가 궁금하다. 폭포만
봐도 거시기가 연상된다. 설악산의 여심폭포는 어쩜
그리 똑같이 생겼는지...파주의 은계폭포도 만만치
않다. 폭포라고 다 거시기를 연상시키진 않는다.
하와이 빅 아일랜드에 있는 '아카카 폭포'는 뭐
그닥...역시 폭포는 K-폭포다.

여성 골퍼들도 바지속이 궁금하기는 마찬가지다.
30 대의 바지속에서는 '장작불'을 기대한다.
거침없이 옹골차게 타오르는 거시기를…40 대의
바지속도 여전히 기대된다. 그런데 안보인다!
아하~ '화롯불'! 부짓갱이로 휘저어줘야 불꽃이
일어난다.

50 대 바지속은 기대도 안한다. 역시 아무것도
없다. '담배불'도 불이긴하다. 빨아줘야 한번씩
제구실을 한다. 빌 클린턴 전 대통령도
'담배불'이다. 르윈스키의 세치혀 도움이 있어야
희미한 불꽃을 피웠다. 첫홀부터 드라이브가 좌로,
우로, 위로, 아래로 빠진다. 멀리건이 한번으로는
부족하다. 그래서 '빌리건'이라는 골프 용어가
탄생한다. 60 대 바지속은 진짜 아무것도 없다.
너무 안습이라 '반딧불'은 있다고 위로한다. 빛만
있고, 열은 전혀 없다.

그냥 우스갯소리다. 사실은 힘을 숨긴 꽃중년도
많다. 평소 몸관리 제대로 하면, 허벅지와 힙업

뒤태가 볼만하다. 여성 골퍼의 눈길을 받을수 있다.
바지속 거시기가 볼볼만하다.

골프백속이 궁금하다!

거시기가 보고싶다!

제 9강

명기를 찾아서

제 9 강---명기를 찾아서...

골프채에도 명기가 있을까? 누가 재미로 만든
"골프채 브랜드 계급도"가 웃긴다. 내가 아는
브랜드를 보면, 최상위에는 '마제스티'와 '혼마' 그
다음이 '젝시오' 그 아래가 '피엑스지'다. 서민층은
우리가 많이 사용하는 브랜드다. '미즈노'
'브리지스톤' '스릭슨' '테일러메이드'
'타이틀리스트' '핑'...하층민은 '클리브랜드' '윌슨'!
이 두 브랜드는 전생에 나라를
팔아먹었나? "의문의 1 패"다. 인지도, 성능,
디자인, 가격을 고려해 서열을 정했다지만, 내가
보기엔 가격인것 같다.

마제스티와 혼마는 명기일까? 일단 "금테"를
둘렀다는데서 그럴듯하다. 드라이브 헤드는 온통
금색이다. 특히 마제스티는 아이언 헤드에도
금장식을 했으며, 샤프트에는 진짜 24K 금으로
도금했다. 금으로 도배한 이 두 브랜드는 시니어
골프채의 최고봉이라 불린다. 기력이 딸리는
시니어에겐 비거리가 보장되는 "금테 두른"
마제스티와 혼마가 명기다. 비싼게 명기다.

주말 골퍼는 나이가 들수록 기력이 딸리고, 실력은
나아지질 않는다. 그래서 실력연마보다는 장비빨의
도움을 받으려 한다. "금테 두른" 명기를 찾아 긴

여정을 떠난다. 금테만 둘렀다고 명기는
아닌데...안습이다.

남자들이 예나 지금이나 애써 찾는 여성의
명기에는 금테가 없다. 조선시대 송도의 명기
'황진이'...황진이의 명기에는 금테 따윈 없다.
황진희의 명기에 한번 물리면 30 초를 버텨낸
남정네가 없었다고 한다. 비싼게 명기의 조건이
될수 없다.

여성의 명기를 일본말로 '긴자꾸'라 한다. "금(킨)
지퍼"로 오해하기 쉽상이다. 금테두른
지퍼…한자가 다르다. 긴자꾸(布着)란 한 쪽이
쫀독쫀독 조여지도록 되어있어, 일단 물고기가
들어오면 빠져나가지 못하도록하는 촘촘한
그물망을 뜻한다. 여성의 긴자꾸는 질내부가 속살이
많고, 흡입력이 넘사벽이다.

그쪽 방면으로 타의 추종을 허락치 않는
일본인들의 명기 묘사가 그들답게 과장되고
엽기적이다.

1. 미미즈 센비키(지렁이 천마리)--질내부의 다양한
모양의 많은 주름이 마치 수많은 지렁이처럼 남성의
거시기를 자극하며 기어다니는 것으로 묘사한다.

2.카즈노코 텐죠(청어알 천장)--질내부의 마지막
끝에 작은 돌기가 청어알처럼 붙어있어 귀두를 무지
자극한다.

3.타와라 지메(자루 조이기)--끈으로 조이듯 남성
거시기를 조아준다.

4.타코 츠보(문어 항아리)--문어의 흡판이 남성 거시기를 빨아들인다. 산낙지가 입안에서 흡판으로 빨아들이는 느낌이랄까...

5.긴자꾸--거시기가 질내부에 들어오는 순간, 입구를 조여 빠져나가지 못하게 한다.

명기는 신기루와 같다. 사막을 헤매다 단물 나오는 곳을 찾은 것 같은데, 아니다. 물론 하늘이 허락해서 명기를 경험한 사람도 있다. 전생에 나라를 구한 사람이다.

그러나 골프채는 여성의 명기와 사뭇 다르다. 자신의 수준, 기력, 유연성, 취향에 맞으면 명기가 된다. 금테두른 비싼 골프채가 명기는 아니다. 프로나 고수에겐 작고 이쁜 헤드를 가진 아이언이 명기가 되고, 430cc 헤드를 가진 드라이버가 명기가 된다. 나이가 좀있는 주말 골퍼에겐 큼직한 헤드가 명기다. 대충 때려도 헤드 페이스 중앙에 맞는 골프채가 명기다. 460cc 꽉채운 드라이버가 명기다. 스틸 샤프트 아이언보다 그라파이트 샤프트 아이언이 제격이다. "딱딱한" 샤프트가 아니라, "좀 낭창낭창한" 레귤러 샤프트가 명기다.

골프채가 명기가 되려면 한가지 조건이 더 있다. "새로 생긴" 골프채라면, 일단 명기가 된다. 적응하는데 시간이 걸리지만, 헤드 페이스는 새것일수록 명기다. 마치 "처음 보는 여자"가 이상형이 되듯이...그래서 프로들은 끊임없이 새것으로 바꾼다. 골프장비 회사 마케팅도 한 몫하지만...골프공도 새것일수록 좋다. 오랫동안 아껴둔 값비싼 브랜드 볼보다, 저렴한 브랜드의 새 볼이 좋다. 골프공은 아끼면 똥된다.

금테 둘렀다고 명기가 아니라, 나에게 궁합이 잘 맞아야 명기다.

찾다 보면, 찾아질 것이다.

비바 라(Viva La) 명기!

비바 라 긴자꾸!

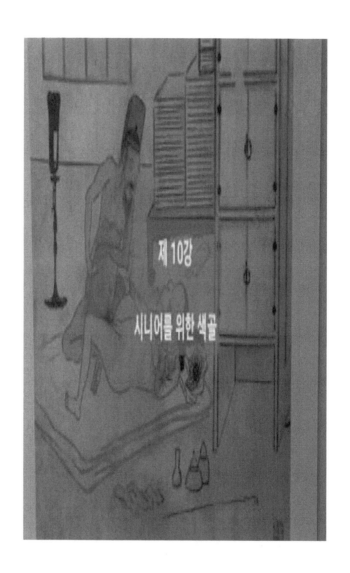

제 10강

시니어를 위한 색골

제 10 강---시니어를 위한 색골

미국 동네 골프장의 그린피 책정을 보면 '시니어'는 65 세부터다. 시니어는 꽃중년은 아닐지라도 꽃할배, 꽃할매 소리는 듣기 싫다. 꽃할배, 꽃할매는 '슈퍼 시니어'라 따로 불린다. 요금을 더 싸게 책정하는 골프장도 있다. 시니어도 색골을 즐길 권리가 있다. "골반 돌릴 힘만 있어도" 색골을 즐길 수 있다. 그럴 힘이 더 이상 없어 '자치기' 골프를 하는 골퍼는 슈퍼 시니어라 불린다.

"사랑행위는 몇 살까지 가능할까?" 라는 질문은 짜증난다. "숟가락 들 힘만 있어도" "문지방 넘을 힘만 있어도" 운우지정을 나눌 수 있는데 나이 타령이라니! 건강과 "하고자 하는" 마음가짐이 받쳐주면, 나이는 숫자에 불과하다. 시니어도 거시기에 관심 많다. 보고 싶고 하고 싶다.

수년 전 "조선시대 춘화" 전시회가 서울에서 열렸다. 관람객의 70%가 50 대~70 대였다. 그중 또 70%가 남성이다. 몸은 예전만 못해도 관심은 많다. 의욕도 있다. 시니어의 사랑행위도 젊은 것들 만큼이나 아름답고 소중하다.

조선시대 풍속화가 김홍도의 춘화집 '운우도첩'을 보면, 시니어의 사랑행위 그림도 있다. 시니어라고 소외되지 않는다. 노부부가 찐한 사랑을 준비하고 있는 '추억'(죽어도 좋아)은 애잔하다. 부인은 자신의 거시기를 보여주며 남편의 거시기 리액션을 끌어내려 애쓴다. 젊은 날 뜨거웠던 운우지정을 추억하며...이대로 생을 마감해도...죽어도 좋아...젊은 처녀와 사랑을 나누려는 시니어의 '회춘'...젊은 처녀는 시니어의 "꽈추"를 보고 뭐가 웃기는지 낄낄거리고 있다. 작다고 무시하는겨? 그래도 좋다. 회춘할 수 있다는데 뭔들, 옥케이!

시니어 골퍼가 잘하는 게 있다. "문전처리"가 완숙하다. 구멍 앞에서 절대 서두르지 않는다. 오랜 경험과 내공으로 자신있기 때문이다. 말하자면, "마인드 컨트롤"이 짱이다. 프로나 고수에게는 골프기술이 20%라면, 마인드 컨트롤은 80%다. 마음을 얼마나 잘 다스리냐가 승부를 결정짓는다. 골린이와 초급 골퍼는 그 반대다. 문전미숙으로 핀잔듣기 일쑤다.

이성에게 멋지게 보이고 싶은 시니어, 지 마음가는 대로 살고 싶은 시니어라면 지켜야 할 에티켓이 2 가지 있다. 골프장 티박스에서는 시니어 티(골드)에 서지 말자! 웬만하면 남자 티(화이트)에서 드라이브 날리자! 시니어 티는 대개 레이디 티(레드)보다 좀 뒤에 붙어 있다. "골반 돌릴 힘만 있어도” 남자는 여자보다 드라이브가 많이 나간다는 “안스러운” 립서비스를 배려해 놓은 데가 시니어 티다. 두번째 에티켓은 ‘페이스 북’ ‘카카오 톡’ 프로필 사진에 손자, 손녀 사진 좀 올리지 말자! 손자, 손녀가 이뻐죽겠지만, 프로필 사진에 그런거 올리면, 슈퍼 시니어 취급당한다. “지 마음가는대로 살고 싶은 멋진” 시니어 이미지와 전혀 어울리지 않는다.

시니어 골퍼도 꽃중년 대접받고 싶어한다.

시니어 골퍼도 오빠소리 듣고 싶어한다.

에필로그

색골 교본은 나이 40 을 넘기고 시니어에 이르는 골퍼들을 위한 이바구다. 갱년기를 겪고 있거나, 경험한 남녀 골퍼가 읽고, 웃어넘기면 좋겠다. 특히 "성욕은 줄고, 식욕과 쌍욕만 느는" 중년 여성골퍼의 입가에 웃음을 머물게 했다면 색골은 성공했다.

전반 부분이 주로 골프 이론을 사랑행위에 빗대 39 금의 수준으로 설명했다면, 후반 부분은 골프를 성문화 관점에서 이바구했다. 특히 우리 역사속의 성풍속을 소개했다.

조선시대를 제외하면, 우리는 성에 개방적이고, 관대했다. 유교에 쩔은 조선시대에도 왕과 양반들은 볼 거 다 보고, 할 거 다 하면서 살았다. 유교라는 병풍 뒤에서는 온갖 쾌락을 추구했고, 사랑의 유희를 즐겼다. 단원 '김홍도' 혜원 '신윤복'은 그런 위선을 춘화를 통해 까발렸다.

'인조 실록'에 보면, 청나라에서 보내온 '섹스 토이' 하나 땜에 온 조정이 난리났다. 섹스 토이를 '춘의'(봄의 뜻)라고 한다. 남녀가 발가벗고 섹스를 하게끔 작동되는 상아로 만든 '성보조 기구'다. 신하들은 청나라가 이런 요상한 인형을 보내 조선을 모욕했다 열불을 올렸고, 인조 임금은 당장 박살내 버리라고 어명을 내렸다. 그 와중에 그 섹스 토이를

65

감상하느라 동공이 풀린 신하가 있었는데, 그 자리에서 삭탈관직 당했다. 뒤에서는 별 거 다하면서, 유교 정신 충만한 조정이라 그 난리 블루스를 쳤던 것이다.

성에 솔직하지 못한 유교 문화는 아직도 남아있다. 유교 보이, 유교 걸에겐 색골 교본이 유학자 화담 '서경덕'이 직관하는 황진이의 '긴자꾸'요, 채식주의자 앞에 놓인 '푸아그라'요, 게이 '홍석천'앞에 선 알몸 미녀다.

색골은 스코아에 연연하지 않는다. 즐기면 된다. 성감대(손맛)를 터치해가며 행복한 플레이를 하면 된다. 스코아 카드에 버디나 파만 적는 것도 한 방법이다.

색골에 빠지면 인생이 즐겁다.

사랑과 골프

발 행 | 2023년 12월 14일

저 자 | 박프로

펴낸이 | 한건희

펴낸곳 | 주식회사 부크크

출판사등록 | 2014.07.15.(제 2014-16 호)

주 소 | 서울특별시 금천구 가산디지털 1 로 119 SK 트윈타워 A 동 305 호

전 화 | 1670-8316

이메일 | info@bookk.co.kr

ISBN | 979-11-410-5639-1

www.bookk.co.kr